Dominique Guillemant

★ Le rêve de Sophie ★

Illustrations de
Paola Chartroux

Il est tard. Sophie dort dans son lit et elle fait un beau rêve. Elle rêve de passer une journée dans un cirque, de rencontrer Gustave le clown et Juliette la danseuse. Accompagnons-la dans son rêve !

3

Finalement le cirque arrive en ville avec ses musiciens, ses artistes et ses animaux.
C'est la grande parade.

Trouve 5 noms d'animaux dans la grande caisse et lis le nom de ce grand cirque.

Mais c'est le cirque _ _ _ _ _ _ _ _ _ _ _ _ !

5

Le clown Gustave
distribue des ballons
aux enfants. Attention !
Gustave va s'envoler !

6

Les spectateurs achètent leur billet
d'entrée. Sophie attend son tour avec impatience !

Le spectacle commence. Sophie et les spectateurs applaudissent. Bravo ! Bravo !

Roulement de tambour ! C'est le tour du lion Albert. Mais pourquoi ne saute-t-il pas dans le cerceau du dompteur ?

Pour le savoir remets la phrase dans le bon ordre.

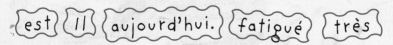

est Il aujourd'hui. fatigué très

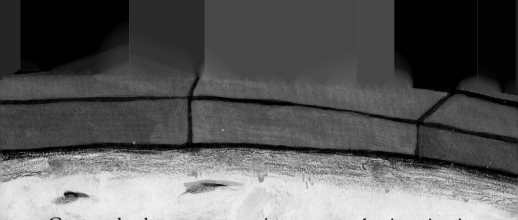

Gustave le clown entre en piste et sauve la situation !

Il fait rire les spectateurs avec ses histoires drôles. Il pose une devinette aux enfants. Essaie de répondre toi aussi.

« Quel est le comble pour un livre d'arithmétique ? »

Gustave le
clown présente
le prochain
numéro :

« Mesdames
et Messieurs,
petits et grands,
je vous présente
Plume, l'éléphant
volant ! »

Plume l'éléphant marche sur un fil de fer
au-dessus de la piste. Quel équilibre !

Dessine une ombrelle rouge et bleue dans la patte
de Plume.

C'est l'entracte et la petite danseuse distribue
des friandises aux enfants.
Mais que mangent-ils ?

A = 🔧
B = 🐝
D = ✏️
E = 🌷
L = 🪮
P = 🥄
R = ✂️
S = 🌑
Y = 🍴

Utilise le code secret pour le découvrir.

___ ___ ___ ___ ___ ___ ___ ___ ___ ___ ___ ___ ___ ___

Sophie préfère manger une pomme d'amour. C'est une pomme avec du sucre autour. Quel délice !

Fais attention Sophie ! Cloclo le singe adore les pommes d'amour !

Le spectacle recommence. Flocon de neige
arrive. C'est un superbe cheval blanc.

Regardez ! Il marche au son du tambour !
Quel rythme !

Pendant ce temps, dans les coulisses,
les musiciens nettoient leurs
instruments de musique.

4 ◯

5 ◯

Associe les dessins aux noms
des instruments.

a la grosse caisse

b la trompette

c le trombone

d le tambour

e les cymbales

23

Pour saluer les spectateurs
Jojo le jongleur joue avec
sept balles colorées.
Comme il est habile !

Dessine le bon
nombre de balles
indiqué et colorie.

24

De l'autre côté de la piste le magicien du cirque fait sortir un lapin de son beau chapeau. Abracadabra !

25

Dring ! Le réveil de Sophie sonne. Elle se retrouve toute seule dans sa chambre. Ses amis ont tous disparu mais…quelle nuit fantastique !

Vite ! Il est l'heure de se lever pour aller à l'école. ◼

Jouons ensemble !

1 Mots cachés. Cherche les mots dans la grille et lis l'affirmation de Cloclo le singe.

Cirque	Ville
Rêve	Entracte
Animaux	Friandises
Musiciens	Numéro
Histoires	Sucre
Ballons	Lit
Cerceau	Délice
Piste	

N	J	P	F	R	E	V	E	H	A
U	C	I	R	Q	U	E	A	I	E
M	U	S	I	C	I	E	N	S	N
E	C	T	A	D	B	O	I	T	T
R	E	E	N	D	A	R	M	O	R
O	R	E	D	E	L	L	A	I	A
E	C	V	I	L	L	E	U	R	C
L	E	C	S	I	O	I	X	E	T
I	A	R	E	C	N	Q	U	S	E
T	U	E	S	E	S	U	C	R	E

__ ' _____ ___ _____ !

2 Qui fait quoi ? Associe correctement.

1 Sophie   **A** marche sur un fil

2 Gustave   **B** joue avec sept balles

3 Albert   **C** fait un beau rêve

4 Plume   **D** marche au son du tambour

5 Flocon de neige   **E** distribue des ballons

6 Jojo   **F** est très fatigué

3 La phrase cachée. Cherche ces mots dans la grille, lis la phrase cachée et illustre-la.

1 5 animaux : _____

2 5 instruments : _____

3 2 parties du cirque : _____

4 4 artistes : _____

lion	les	trompette	danseuse	cymbales	éléphant	enfants
magicien	grosse caisse	piste	cheval	mangent	jongleur	tambour
de la	singe	barbe à papa	dompteur	trombone	coulisses	ours

-- -- --- ---- ---- ----- ----- -----

-- -- ---- ---- ----- ----- .

4 **Observe les images et complète le texte.**

Sophie adore aller au _____

avec ses amis. Ensemble, il regardent passer la grande

_____ puis il vont acheter leur _____ .

Le clown Gustave leur offre de jolis

_____ avant d'entrer. Pendant

l'entracte, ils font la connaissance du _____

et ils caressent Albert le _____ .

Ils ont envie de manger quelque chose, ils

prennent de la _____ et des

_____ . Miam !!

5 **Réponds aux questions.**

1 Et toi, aimes-tu aller au cirque ?

_____

2 Quel est ton artiste préféré ?

_____

3 Quel est ton animal préféré ?

_____

6 Observe, complète la grille pour connaître l'aliment préféré de Cloclo le singe.

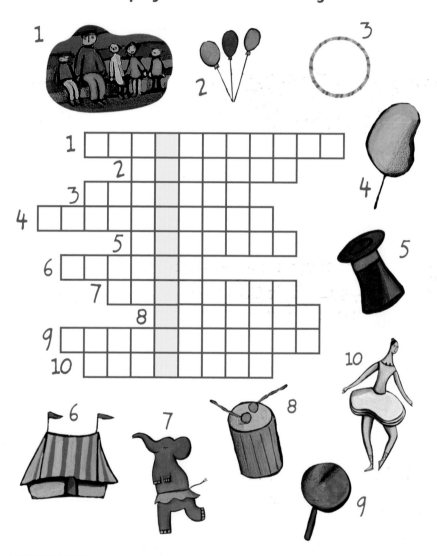

Clolo le singe aime les _ _ _ _ _ _ _ _ _ _ _ .

7 Les enfants adorent les pommes d'amour !
On les mange sur un bâton de bois...
comme de très grosses sucettes !

Ingrédients pour 1 pomme d'amour :

- 15g de beurre
- 5 gouttes de colorant alimentaire rouge
- 1 cuillère à soupe d'eau
- 1 cuillère à café de jus de citron
- 1 pomme
- 1 petit bâton de cannelle
- 1 pic à brochette en bois
- 80g de sucre

Mets la recette dans le bon ordre.

A Mélange régulièrement jusqu'à ce que le mélange caramélise. Le sirop doit être très épais.

B Lave ta pomme, retire la queue et plante le pic en bois.

C Hors du feu, enlève la cannelle et ajoute le colorant alimentaire rouge.

D Mets le beurre dans une casserole. Fais fondre à feu doux et ajoute le sucre, la cannelle, l'eau et le jus de citron.

E Trempe ta pomme dans le sirop pour la recouvrir de sucre.

ATTENTION !
DEMANDE À TA MAMAN DE T'AIDER !